LES GRENOUILLES

Texte anglais de **Lucy Baker**
Texte français de **Jocelyne Henri**

Consultant: Vic Taylor, agent d'éducation
British Herpetological Society, Londres

Scholastic Canada Ltd.
123, Newkirk Road, Richmond Hill (Ontario) Canada

Données de catalogage avant publication (Canada)
Baker, Lucy
  Les grenouilles

Traduction de: Frogs
ISBN 0-590-74456-9

1. Grenouilles – Ouvrages pour la jeunesse.
I. Titre.

QL668. E2B314 1992   j597.8   C92-093946-5

Titre original: Frogs

Édition originale publiée par Two-Can Publishing Ltd., Londres, 1991.
Exclusivité au Canada et aux États-Unis: Scholastic Canada Ltd.
123, Newkirk Road, Richmond Hill, Ontario, Canada L4C 3G5

Composition de The Creative Text Partnership

4321   Imprimé à Hong-Kong   234/9

Crédits des photos:
Photo de la couverture: Bruce Coleman; p. 4 François Gohier/Ardea; p. 5 Pat Morris/Ardea; p. 6-7 John Daniels/Ardea; p. 8 Hans et Judy Beste;
Ardea; p. 9 (en haut) Annie Price/Survival Anglia (en bas) Bruce Davidson/Survival Anglia; p. 12 George McCarthy/Bruce Coleman; p. 14 Avril
Ramage/Oxford Scientific Films; p. 15 (en haut) Zig Leszczynski/Animals Oxford Scientific Films (en bas) Ken Griffiths/NHPSA; p. 16 G.I.
Bernard/Oxford Scientific Films; p. 17 Michael Fogden/Oxford Scientific Films; p. 18 Michael Leach/NHPA; p. 19 Heather Angel

Crédits des illustrations:
Couverture arrière, p. 4-19 David Cook/Linden Artists; p. 20-21 Steve Ling/Linden Artists; p. 22-23 Claire Legemah; p. 24-25 Ken Hooks/Jeremy
Clegg; p. 26-30 Phil Weare/Linden Artists; p. 31 Alan Rogers

SOMMAIRE

Observons les grenouilles   4
Le mode de déplacement   6
Les habitats des grenouilles   8
L'accouplement   10
La métamorphose   12
Que mangent les grenouilles?   14
La survie   16
Les grenouilles et les humains   18
Le jeu de l'étang   20
Le masque de grenouille   22
Trouve les grenouilles   24
Les crapauds du désert   26
Vrai ou faux?   31
Index   32

OBSERVONS LES GRENOUILLES

Les grenouilles appartiennent à un groupe primitif d'animaux appelés les amphibiens. Les tritons et les salamandres font aussi partie de ce groupe. Il y avait des amphibiens sur la terre bien avant les reptiles, les liseaux et les mammifères. À leur apparition sur terre, il y a plus de 300 millions d'années, les seules créatures qui vivaient sur terre étaient les insectes et d'autres petites bestioles.

La plupart des grenouilles naissent dans l'eau mais vivent leur vie d'adultes sur la terre ferme. Chaque année, elles retournent aux étangs et aux ruisseaux d'eau douce pour s'accoupler.

Il existe environ 1800 espèces différentes de grenouilles. Généralement, les grenouilles ont le corps trapu et rond, de longues pattes postérieures et des pattes antérieures plus courtes. La plupart des espèces ont de gros yeux saillants et globuleux.

Les grenouilles ont une peau douce et délicate qui conserve son humidité grâce à des glandes muqueuses spéciales. Certaines espèces ont un aspect mouillé et glissant, tandis que d'autres ont la peau sèche et verruqueuse.

LE SAVAIS-TU?

Les crapauds font partie de la famille des grenouilles. Habituellement, on reconnaît les crapauds à leur peau sèche et verruqueuse. Cependant, dans certaines parties du monde, il existe des crapauds à peau douce et des grenouilles à peau verruqueuse.

▶ La rainette blanche est trapue et ronde. Elle peut mesurer jusqu'à dix centimètres. Les plus grosses grenouilles peuvent atteindre trois fois cette taille.

▼ Toutes les grenouilles ne sont pas grosses. La rainette aux yeux rouges est mince et anguleuse. Elle vit dans les arbres des forêts tropicales de l'Amérique centrale.

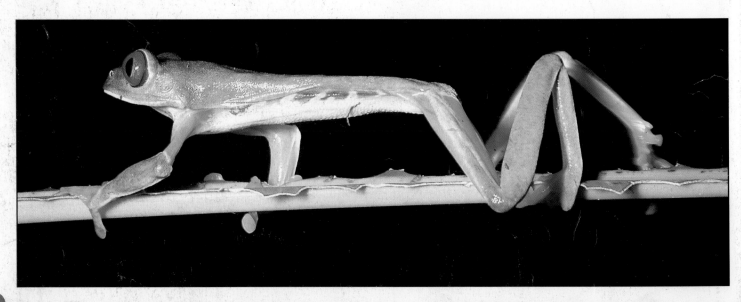

LE MODE DE DÉPLACEMENT

Les grenouilles sont championnes en sauts. En se donnant une poussée avec leurs longues pattes postérieures, elles peuvent parcourir plusieurs fois la longueur de leur corps d'un seul bond. Leurs pattes antérieures coussinées adoucissent l'impact de l'atterrissage.

Les grenouilles sautent généralement plus loin que les crapauds, car leurs pattes sont plus longues. Dans certaines parties du monde, on organise à chaque année des concours de sauts de grenouilles.

Mis à part le saut, les grenouilles peuvent aussi se déplacer à quatre pattes. Leurs orteils puissants leur permettent de s'agripper aux brindilles, aux pierres et aux autres prises pour grimper aux arbres ou escalader les rochers. Elles ont aussi des talents pour creuser dans le sol.

Les grenouilles sont aussi douées dans l'eau qu'elles le sont sur la terre ferme, ce qui n'a rien d'étonnant. Pour nager, elles se servent de leurs puissantes pattes postérieures pour se propulser et de leurs pattes antérieures pour se guider. La plupart des espèces ont les pattes palmées ou semi-palmées.

En position assise, les grenouilles replient leurs longues pattes postérieures sous leur corps. La grenouille de la photo est une grenouille européenne.

LES HABITATS DES GRENOUILLES

Les grenouilles sont disséminées partout dans le monde. Le seul continent où elles ne peuvent survivre est l'Antarctique, avec ses étendues glacées.

Les habitats des grenouilles sont très diversifiés; on les retrouve aussi bien à la cime des arbres qu'au creux des terriers boueux. Pour se reproduire, il leur faut de l'eau fraîche; c'est pourquoi de nombreuses espèces vivent près des lacs, des rivières, des étangs ou des ruisseaux.

Les grenouilles doivent vivre dans un environnement humide, à cause de leur peau moite qui, autrement, se dessécherait rapidement. Cependant, certaines espèces se sont adaptées au désert et ne s'accouplent qu'après les rares pluies torrentielles.

Les grenouilles ont le sang froid, ce qui ne veut pas dire que leur sang est réellement froid. Pour être plus précis, elles ne peuvent maintenir la température de leur corps. La température ambiante les affecte et elles doivent donc éviter la chaleur ou le froid extrême.

Dans les pays froids, les grenouilles hibernent. Elles se creusent un terrier ou s'enfoncent dans la boue, au fond d'un étang. Les grenouilles du désert, quant à elles, se cachent dans des terriers pour éviter les heures torrides et glaciales de la journée.

▶ Les grenouilles s'éloignent rarement des étangs où elles ont vu le jour. En fait, quelques espèces passent même leur vie dans l'eau. Les grenouilles respirent grâce à des poumons, comme les humains, ou grâce à des branchies internes, comme les poissons. Elles respirent aussi par la peau. À droite, un crapaud de Bell doré de la Nouvelle-Zélande.

◀ Certaines des plus belles espèces vivent dans les forêts tropicales. Elles passent leur vie dans la voûte des arbres. Les rainettes sont équipées de coussinets adhésifs au bout de chaque doigt pour grimper aux arbres.

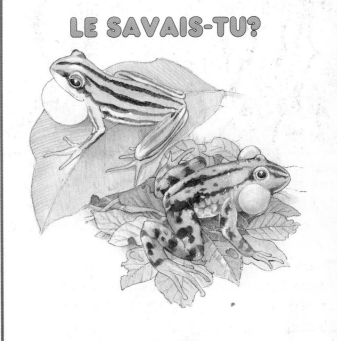

LE SAVAIS-TU?

▲ Certaines espèces, comme le crapaud fouisseur d'Afrique, aiment s'enterrer. Elles s'enfoncent à reculons dans la boue. Quand elles hibernent, les grenouilles s'enterrent complètement et survivent en respirant par la peau.

Les grenouilles sont parfois très bruyantes, surtout durant la saison des amours. Certaines espèces coassent, d'autres sifflent ou émettent un son aigu de flûte. Le ouaouaron, ou grenouille-taureau, est réputé pour ses cris qui ressemblent à ceux d'un taureau. Plusieurs espèces amplifient leurs cris grâce à un ou deux sacs vocaux qu'elles gonflent d'air.

L'ACCOUPLEMENT

La plupart des grenouilles naissent dans des mares d'eau douce. Adultes, elles retournent à l'eau pour s'accoupler et pondre leurs oeufs. Il arrive que certaines espèces reviennent instinctivement à la mare qui les a vues naître, même si elle est desséchée ou recouverte.

Les mâles arrivent les premiers sur les lieux de ponte et lancent des appels pour attirer les femelles. Lorsque les femelles arrivent, les mâles s'activent et se chamaillent pour trouver une partenaire.

Les mâles chevauchent les femelles et les agrippent soit au niveau des aisselles, soit à la taille. Les doigts des mâles sont pourvus de coussinets qui leur permettent de bien saisir leurs partenaires.

L'accouplement se prolonge parfois pendant plusieurs heures ou plusieurs jours, jusqu'à ce que la femelle expulse les oeufs. Le mâle fertilise les oeufs aussitôt qu'ils sont dans l'eau. Certaines espèces peuvent pondre jusqu'à 5000 oeufs durant une saison.

Une fois qu'ils sont dans l'eau, les oeufs coulent au fond et libèrent une substance gélatineuse. Cette enveloppe remonte les oeufs à la surface de l'eau où ils flottent

jusqu'à l'éclosion. Cette substance au goût infect assure la protection des oeufs contre l'attaque des prédateurs.

La plupart des grenouilles et des crapauds ne s'occupent pas de leur progéniture après la ponte, mais certaines espèces sont des parents conciencieux.

▼ Les grenouilles se rassemblent dans les mares d'eau fraîche pour s'accoupler. Le mâle de la photo a le choix entre quatre femelles. Les mâles qui ne peuvent se trouver une partenaire étreignent d'autres mâles, des rondins flottants ou même des poissons.

Le crapaud accoucheur mâle garde les oeufs qu'il a fertilisés accrochés à ses pattes postérieures jusqu'à l'éclosion.

Les rainettes versicolores produisent un nid de mousse pour leurs oeufs. Les nids reposent sur des branches qui surplombent les mares et les ruisseaux.

La rainette marsupiale incube ses oeufs dans une poche dorsale. Au bout de quelques semaines, de minuscules rainettes sortent de la poche.

LA MÉTAMORPHOSE

L'éclosion des oeufs de grenouilles se produit après quelques jours ou quelques semaines, dépendant du temps qu'il fait. De minuscules animaux qui ressemblent plus aux poissons qu'aux grenouilles apparaissent alors. On les appelle têtards.

Les têtards doivent subir plusieurs changements avant de devenir de jeunes grenouilles. Au début, ils vivent comme les petits poissons. Ils respirent par des branchies et mangent des plantes aquatiques appelées algues.

Le premier changement s'opère lorsque le têtard développe des poumons et se met à respirer à la surface de l'eau. Environ au même moment, il change sa diète végétale contre une diète animale. Un peu plus tard, de minuscules membres apparaissent.

Lorsqu'ils sont âgés de trois mois, la plupart des têtards sont prêts à quitter l'eau et à sautiller sur la terre ferme. Ils sont maintenant devenus des mini-répliques des adultes. On appelle métamorphose la série de transformations que subit le corps de certains animaux, comme les têtards qui deviennent des grenouilles.

Le développement de la plupart des espèces se poursuit durant trois ans avant d'atteindre la taille adulte. Durant leur croissance, les grenouilles perdent régulièrement leur couche de peau externe. Ce phénomène s'appelle la mue.

▶ Les oeufs de grenouilles fécondés, appelés aussi le frai, flottent habituellement en amas à la surface de l'eau, tandis que ceux des crapauds forment des cordons qui s'enroulent aux plantes aquatiques.

LE SAVAIS-TU?

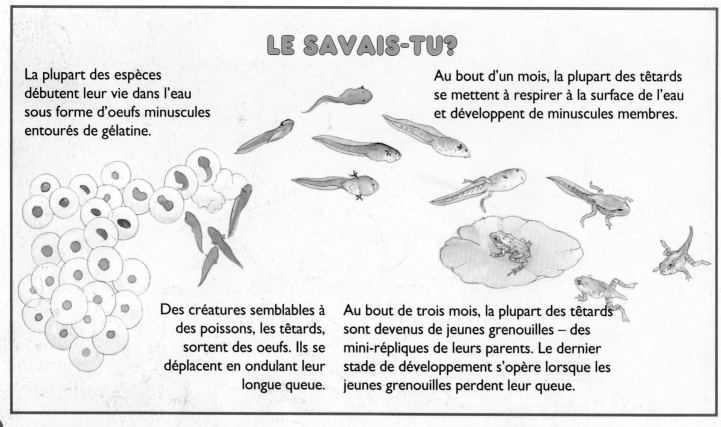

La plupart des espèces débutent leur vie dans l'eau sous forme d'oeufs minuscules entourés de gélatine.

Au bout d'un mois, la plupart des têtards se mettent à respirer à la surface de l'eau et développent de minuscules membres.

Des créatures semblables à des poissons, les têtards, sortent des oeufs. Ils se déplacent en ondulant leur longue queue.

Au bout de trois mois, la plupart des têtards sont devenus de jeunes grenouilles – des mini-répliques de leurs parents. Le dernier stade de développement s'opère lorsque les jeunes grenouilles perdent leur queue.

QUE MANGENT LES GRENOUILLES?

Les grenouilles sont carnivores, ce qui veut dire qu'elles se nourrissent d'animaux plutôt que de plantes. Elles mangent à peu près tout ce qui bouge. Elles passent la plus grande partie du temps immobiles, toujours prêtes à bondir sur les insectes qui passent à leur portée. Leurs yeux saillants et globuleux leur procurent une vision périphérique et leurs réflexes sont très rapides.

Le régime alimentaire de la plupart des espèces se compose d'insectes, de vers de terre et de larves. Les plus grosses espèces, comme les grenouilles cornues et les ouaouarons, mangent des lézards, des oiseaux et d'autres petits animaux.

Certaines grenouilles ont une langue longue et visqueuse, fixée à l'avant de la bouche, qu'elles déploient rapidement pour attraper leurs proies. D'autres se saisissent simplement des insectes rampants avec leurs puissantes mâchoires élargies.

La grenouille à pinces, qui vit dans l'eau, pousse sa nourriture dans la bouche avec ses pattes antérieures. Les crapauds à bouche étroite ont de si petites bouches que leur diète est très limitée. Ils se nourissent de termites et de petits insectes.

▼ Les vers de terre sont des proies faciles pour le crapaud calamite, qui les nettoie avec ses pieds avant de les mettre dans sa bouche.

▲ Avaler une souris n'est pas un problème pour la grenouille cornue d'Afrique. En général, les grosses grenouilles se sortent les yeux des orbites pour agrandir l'orifice buccal.

▶ Certaines espèces bondissent dans l'air pour attraper des libellules, des papillons de nuit et d'autres insectes volants. D'autres les abattent de leur longue langue visqueuse. Cette rainette verte mange un papillon de nuit.

LA SURVIE

Dès les premiers jours, la vie d'une grenouille est remplie de dangers. La plupart des têtards ne survivent pas assez longtemps pour devenir des grenouilles. Ils sont dévorés par les poissons, les oiseaux et les autres grenouilles avant de pouvoir quitter l'eau.

Les grenouilles adultes ont autant d'ennemis. Elles doivent constamment surveiller les prédateurs. Elles font partie du régime alimentaire des reptiles, des oiseaux et de plusieurs mammifères.

Plusieurs espèces sont d'un vert ou d'un brun tacheté. La couleur de leur peau les rend difficiles à distinguer dans leur environnement.

Lorsqu'elles sont en danger, les grenouilles ont diverses façons d'échapper à leurs prédateurs. Plusieurs s'enfuient en sautant ou s'enfoncent dans le sol. Certaines se gonflent ou se dressent sur leurs pattes pour défier leurs attaquants.

Les grenouilles qui sont le mieux protégées sont celles dont la peau est toxique. L'animal qui est assez imprudent pour choisir une grenouille venimeuse apprend vite sa leçon, car sa peau sécrète un venin qui cause des enflures douloureuses à la bouche de l'attaquant. Les grenouilles venimeuses ont des taches de couleur vive pour garder les prédateurs à distance.

◀ Le crapaud calamite tente de se faire le plus gros possible quand il se sent menacé par un serpent, un lézard ou un autre ennemi. Il se redresse au maximum sur ses quatre pattes et se gonfle le corps.

▲ Le sonneur à ventre rouge montre la coloration vive de son ventre à ses attaquants. Les marbrures rouges, jaunes ou orange de son corps avertissent ses ennemis que sa peau est toxique.

LE SAVAIS-TU?

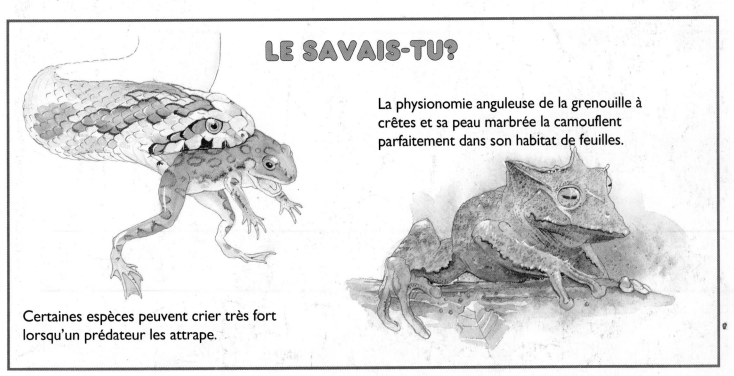

La physionomie anguleuse de la grenouille à crêtes et sa peau marbrée la camouflent parfaitement dans son habitat de feuilles.

Certaines espèces peuvent crier très fort lorsqu'un prédateur les attrape.

LES GRENOUILLES ET LES HUMAINS

Au cours des années, les humains ont développé de la méfiance à l'égard des grenouilles. Ils les associaient à la sorcellerie. L'apparition des grenouilles en très grand nombre durant la saison de reproduction a été la source de nombreux contes populaires où on les faisait tomber du ciel en pluie.

Les grenouilles ne sont pas nuisibles. En fait, elles sont nos amies, car elles mangent des insectes destructeurs. Dans certaines parties d'Asie, les humains ont chassé les grenouilles en grand nombre et des insectes dommageables menacent maintenant les récoltes des fermiers.

L'accroissement de la population cause beaucoup de problèmes aux grenouilles. Leurs habitats disparaissent au profit de routes et d'immeubles. Les polluants, sans cesse déversés dans les rivières et les ruisseaux, empoisonnent les sites de frai des grenouilles.

LE SAVAIS-TU?

Dans certains pays, des panneaux de signalisation sont installés pour protéger les grenouilles durant leur migration annuelle vers les lieux de ponte.

Les cuisses de grenouilles constituent un mets délicat. C'est pourquoi on élève des grenouilles pour faire le commerce de leurs longues pattes postérieures.

◀ Chaque année, grenouilles et crapauds sont tués durant leur migration vers les sites de ponte. Ils suivent toujours la même route, même s'ils doivent traverser des autoroutes dangereuses.

▶ Certaines espèces venimeuses sécrètent un poison dans lequel les tribus indiennes des forêts équatoriales trempent la pointe de leurs flèches. Même si elles ne sont pas plus grosses que le bout du doigt d'un humain, ces grenouilles peuvent empoisonner et tuer de gros animaux comme les chats sauvages.

LE JEU DE L'ÉTANG

Peux-tu aider la grenouille à retrouver le chemin de son étang à temps pour la saison de reproduction? Pour jouer, il te faut un dé et quelques jetons.

ATTENTION! Su tu arrives sur une case noire, tu dois retourner à la case Départ.

DÉPART

Tu t'arrêtes pour manger. Passe un tour.

Tu es poursuivie par un chien. Avance de deux cases.

Tu sautes dans la haie pour éviter les oiseaux. Avance de quatre cases.

Tu prends un raccourci.

Tu manges et tu te reposes. Passe un tour.

Tu te laves dans le ruisseau. Recule de trois cases.

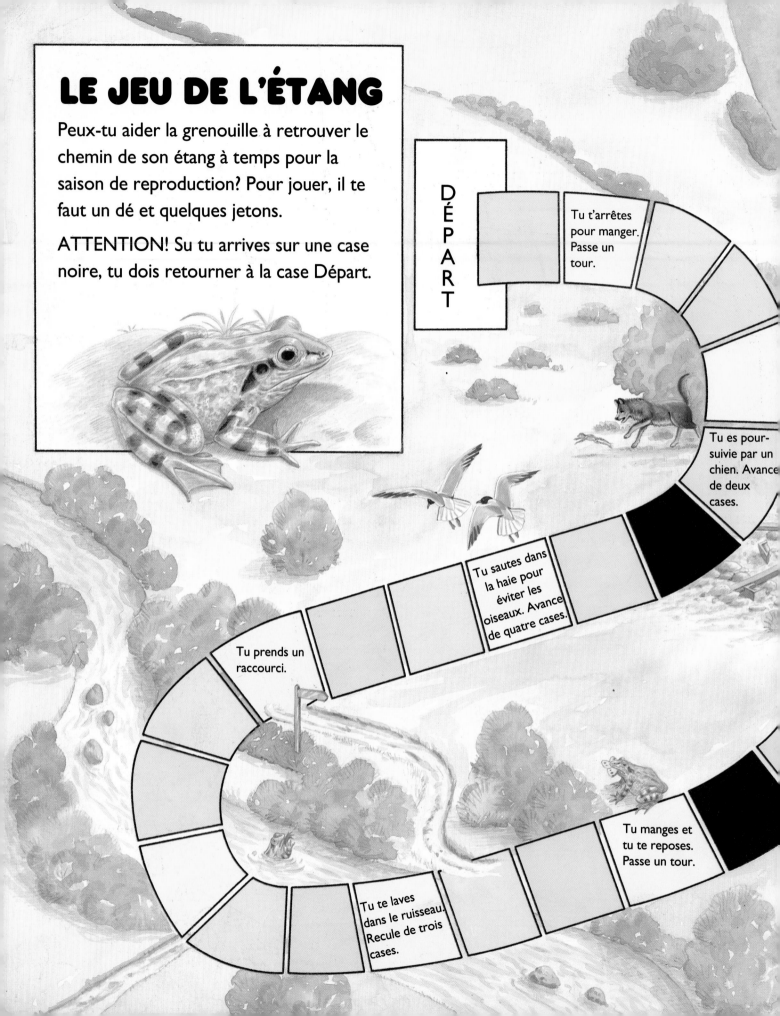

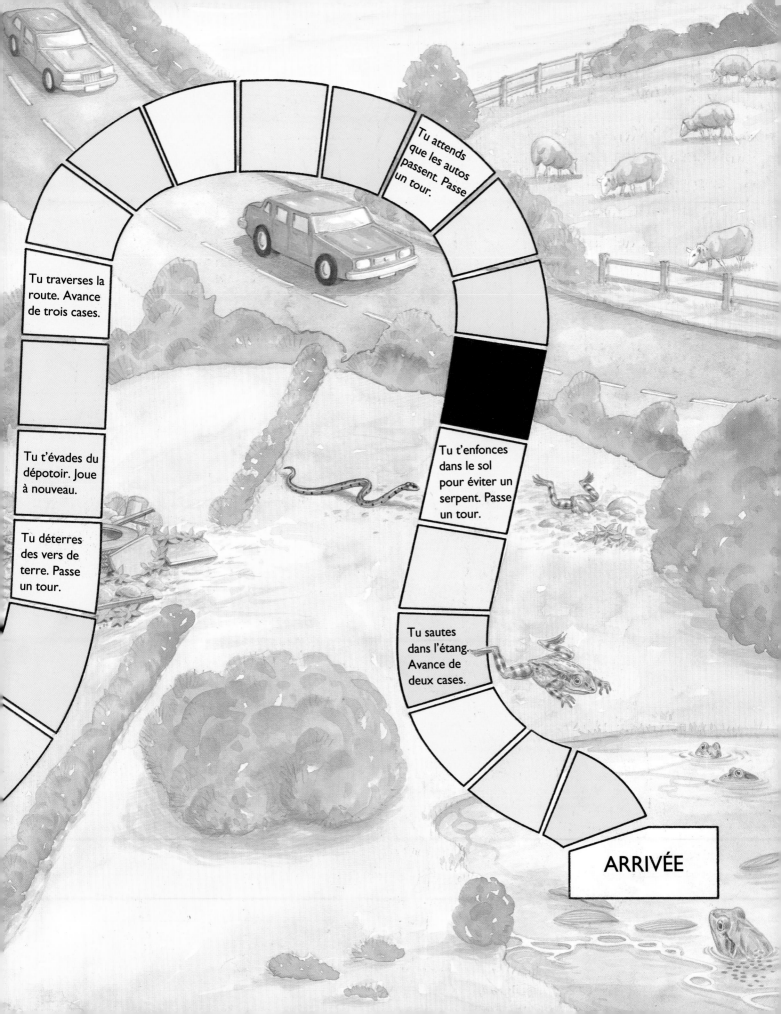

Tu attends que les autos passent. Passe un tour.

Tu traverses la route. Avance de trois cases.

Tu t'évades du dépotoir. Joue à nouveau.

Tu déterres des vers de terre. Passe un tour.

Tu t'enfonces dans le sol pour éviter un serpent. Passe un tour.

Tu sautes dans l'étang. Avance de deux cases.

ARRIVÉE

LE MASQUE
DE GRENOUILLE

On peut décorer les masques de nombreuses façons. En voici quelques-unes.

crayons   ficelle

peinture

tissu

papiers de
couleur

▶ Pour faire ce masque, on a
dessiné le tracé de base sur du
carton, puis on l'a décoré avec
du papier de couleur.

Essaie de faire un masque. Tu as besoin
d'un peu de carton ou de papier épais,
d'un élastique, d'une ficelle ou d'un lacet
et d'une paire de ciseaux.

    Dessine le tracé de base sur le carton et
découpe-le. N'oublie pas les trous pour les
yeux et les petits trous de chaque côté du
masque. Décore ton masque. Enfile
l'élastique dans les trous latéraux.

    Voilà, ton masque est prêt à porter!

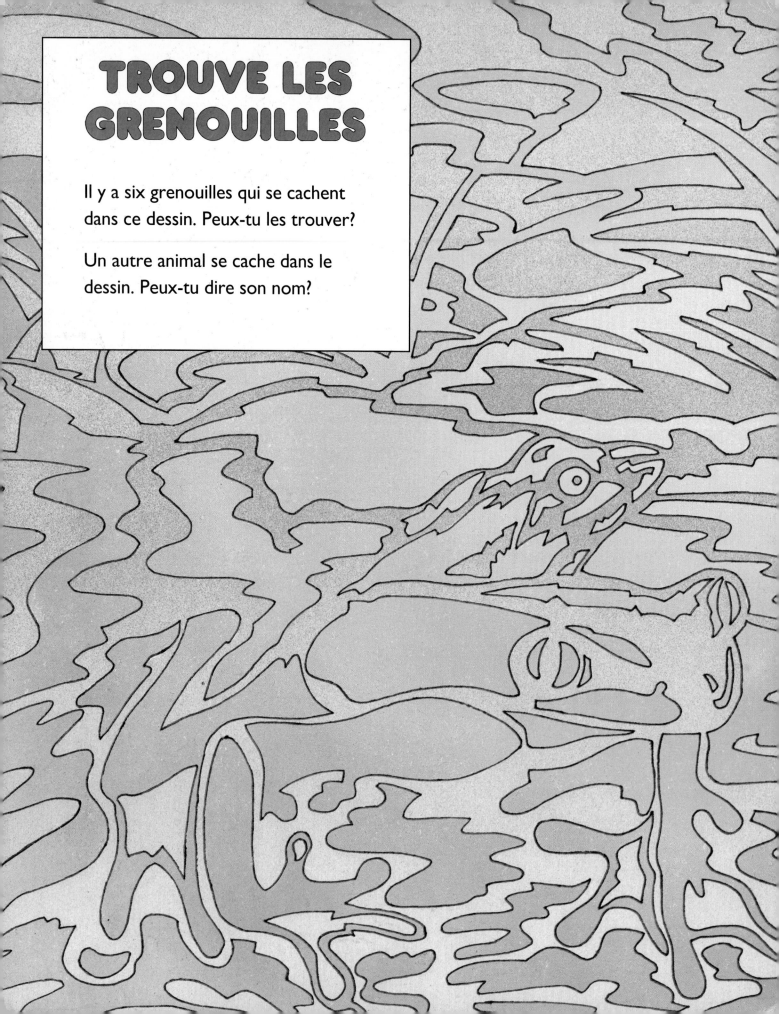

TROUVE LES GRENOUILLES

Il y a six grenouilles qui se cachent dans ce dessin. Peux-tu les trouver?

Un autre animal se cache dans le dessin. Peux-tu dire son nom?

LES CRAPAUDS DU DÉSERT

PAR LUCY BAKER

Sam est un crapaud pieds-en-bêche. Comme sa mère et son père et les autres crapauds pieds-en-bêche, il vit dans le désert. Ce n'est pas l'endroit le plus facile à vivre pour un crapaud.

Sam vit dans le désert Sonoran, en Arizona, aux États-Unis. C'est un endroit très chaud et très sec. Les pluies sont rares et ne tombent que pendant deux mois de l'année.

La plupart du temps, un soleil ardent cuit le désert Sonoran. À midi, il fait si chaud qu'on pourrait faire cuire un oeuf sur le sol. Il n'y a pas d'arbres, seulement des cactus épineux et des cactées rabougris.

Si Sam s'aventurait à la surface du désert durant les longues journées

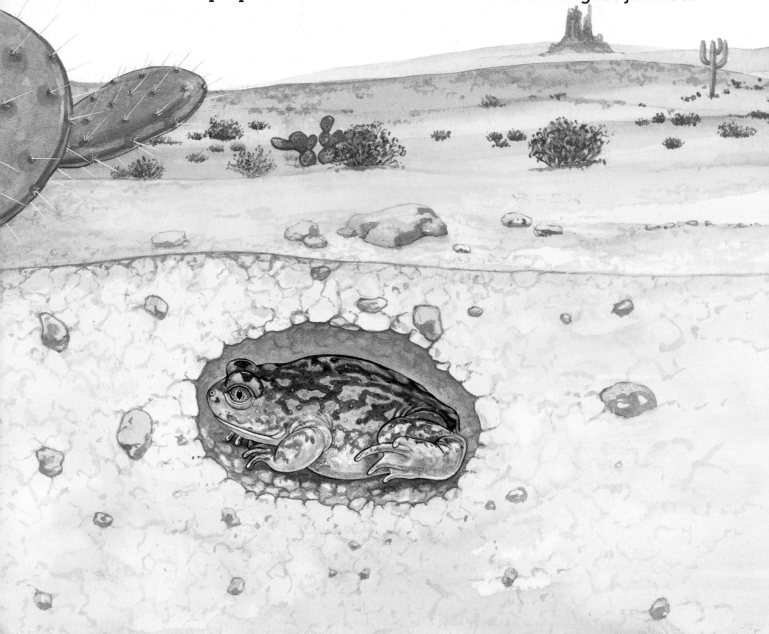

torrides, il serait en grand danger. Le soleil cruel tirerait toute l'humidité de son corps et, quelques heures plus tard, il mourrait.

Pour survivre, Sam se cache profondément dans le sol. Chacune de ses pattes postérieures comporte une bêche cornée qui lui permet de s'enfoncer à reculons. À cette profondeur, c'est beaucoup plus frais.

Aussi incroyable que cela puisse paraître, Sam doit vivre sous la terre durant dix mois d'affilée. Enterré vivant, il ne bouge presque pas. Il tombe dans un sommeil particulier, comme les animaux qui hibernent durant les mois de grands froids.

La période de l'année que Sam préfère est la courte saison des pluies. Il ne s'agit pas seulement de courtes averses, mais de pluies torrentielles.

À la manière d'un réveille-matin, les pluies du désert tirent Sam de son profond sommeil. Elles tambourinent sur le toit de son terrier. Sam n'est pas le seul crapaud pieds-en-bêche à se faire réveiller. Tous ces amis entendent le martèlement de la pluie.

Les crapauds pieds-en-bêche sont contents et soulagés. Ils savent que la pluie est synonyme de nourriture et que l'eau qui jaillit va inonder le sol du désert. Dans quelques heures, des mares temporaires se seront formées et les crapauds pourront s'y rassembler pour s'accoupler.

Les crapauds pieds-en-bêche sont très chanceux, car ils possèdent comme une sorte de sixième sens. Dans leurs terriers, ils peuvent déterminer si c'est le jour ou la nuit. Si la pluie tombe durant le jour, comme il arrive souvent, les crapauds attendent patiemment que le soleil se couche avant de remonter à la surface. Même après un orage, le soleil du désert est encore trop ardent pour eux.

Enfin, le soleil se couche et Sam, de même que les autres crapauds, commencent à s'agiter. Même s'ils ne peuvent ni se voir ni s'entendre, ils se déplacent en même temps. Au bout de quelques minutes, le sol dénudé et calme du désert entre en éruption et des centaines et des centaines de crapauds se répandent sur la terre mouillée.

Aussitôt qu'il respire l'air frais de la nuit, Sam a envie de se chercher de la nourriture. Il n'a pas mangé depuis des mois. Mais il doit d'abord se joindre à la ruée pour la survie de son espèce.

La survie des nouveaux crapauds pieds-en-bêche serait menacée si Sam

et ses amis ne se précipitaient pas vers les mares temporaires aussitôt qu'elles ont émergé. Les flaques d'eau peu profondes dans lesquelles les femelles doivent pondre leurs oeufs ne seront là que pour quelques semaines. C'est l'événement le plus important de la vie des crapauds. Ce n'est pas le temps d'arrêter pour manger, car il n'y a pas assez de place dans la mare pour chaque crapaud. Sam se précipite donc vers l'étang.

En arrivant près de la mare, Sam entend les appels stridents des mâles.

Ces cris attirent les femelles, c'est pourquoi chaque mâle essaie de crier plus fort que ses rivaux. Sam se met de la partie, gonflant sa gorge comme un ballon. Sam est chanceux. Il se glisse dans la mare et trouve une partenaire. Dans une seule nuit, il fertilisera ses oeufs par centaines.

Les oeufs grandiront très rapidement. L'éclosion se produira au bout de 24 heures et les têtards se transformeront en crapauds dans moins de deux semaines. Durant leur croissance, la chaleur du soleil évaporera peu à peu

l'eau de la mare.

Seuls quelques-uns des milliers d'oeufs survivront. La compétition est féroce. Les têtards les plus petits et les plus faibles seront mangés par les autres têtards ou par les créatures du désert à la recherche de nourriture.

La course à la survie a laissé Sam affamé et fatigué. Il ne lui reste maintenant que quelques heures pour trouver de la nourriture avant que le soleil ne se lève à nouveau et le force à retourner dans son terrier.

Cependant, la pluie tombe encore sur le désert Sonoran. La terre hostile et dénudée se change en un jardin multicolore. Durant quelques semaines, les fleurs s'épanouissent et les insectes et les papillons remplissent l'air. C'est une transformation qui relève de la magie.

Même si Sam ne peut pas errer librement durant le jour, il peut

s'aventurer chaque nuit et manger à sa faim. Jusqu'à ce que le désert redevienne aride et hostile, bien entendu.

Pendant quelques semaines, la vie de Sam se résume aux festins et à la liberté. Il attrape des araignées, des sauterelles et des chenilles pour accumuler des réserves de graisse. Il doit manger des quantités énormes de nourriture pour se préparer au régime sec des mois à venir.

Trop vite, le sol s'assèche. Sam et ses amis sont forcés de s'enterrer profondément dans le sol du désert. Quelques nouvelles recrues vont se joindre à eux. Ce n'est que le début de leur vie désertique.

VRAI OU FAUX?

Parmi ces affirmations, certaines sont fausses, d'autres sont vraies. Si tu as lu ce livre avec attention, tu n'auras pas de mal à répondre.

1. Les grenouilles appartiennent à un groupe primitif d'animaux appelés les amphibiens.
2. Au début de leur vie, les grenouilles vivent sur la terre ferme et à l'âge adulte, elles vivent dans l'eau.

3. Les pattes postérieures des grenouilles sont courtes et les pattes antérieures sont longues.
4. Les grenouilles ont de petits yeux enfoncés dans les orbites.
5. Les crapauds font partie de la famille des grenouilles.
6. Les grenouilles ont de puissants orteils.

8. La plupart des grenouilles vivent sur les terres gelées de l'Antarctique.
9. Les ouaouarons émettent un son puissant qui ressemble au cri d'un taureau.
10. Les bébés grenouilles sont appelés têtards.
11. Les têtards ressemblent à des grenouilles miniatures.
12. Les grenouilles mangent des plantes.

7. Les grenouilles sont très bruyantes durant la saison de reproduction.

13. Certaines espèces ont la peau toxique.
14. Les cuisses de grenouilles sont un mets délicat.
15. Certaines grenouilles venimeuses peuvent tuer des gros animaux, comme les chats sauvages.

RÉPONSES: 1.Vrai; 2.Faux; 3.Faux; 4.Faux; 5.Vrai; 6.Vrai; 7.Vrai; 8.Faux; 9.Vrai; 10.Vrai; 11.Faux; 12.Faux; 13.Vrai; 14.Vrai; 15.Vrai.

INDEX

accouplement 10, 11
amphibiens 4

communication 9, 17
crapauds 4
crapaud à bouche étroite 14
crapaud accoucheur 11
crapaud calamite 14, 17
crapaud de Bell doré 9
crapaud fouisseur d'Afrique 9,10

défense 16,17

ennemis 16,17

frai 12

grenouille à crêtes 17
grenouille à pinces 14
grenouille cornue 14
grenouille cornue d'Afrique 15
grenouille européenne 6
grenouille-taureau 9,14
grenouilles venimeuses 16,18

habitats 8

métamorphose 12
mouvement 6, 7
mue 12

nage 6

oeufs 10,11,12,13
orteils 6,8
ouaouaron 9,14

peau 4
pieds 6
problèmes 18

rainette aux yeux rouges 4
rainette blanche 5
rainette marsupiale 11
rainette versicolore 11
rainette verte 15
rainettes 4, 5, 8, 11, 15
régime alimentaire 14
respiration 9

sauts 6
sonneur à ventre rouge 17

taille 4
têtards 12